Tha an leabhar seo le

....

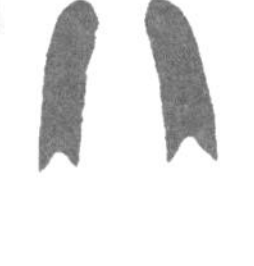

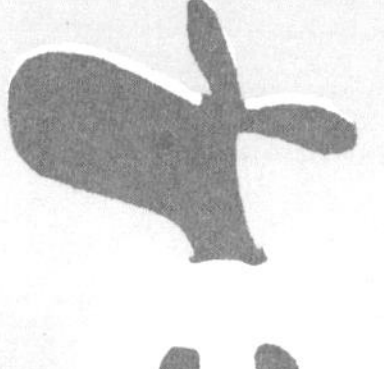

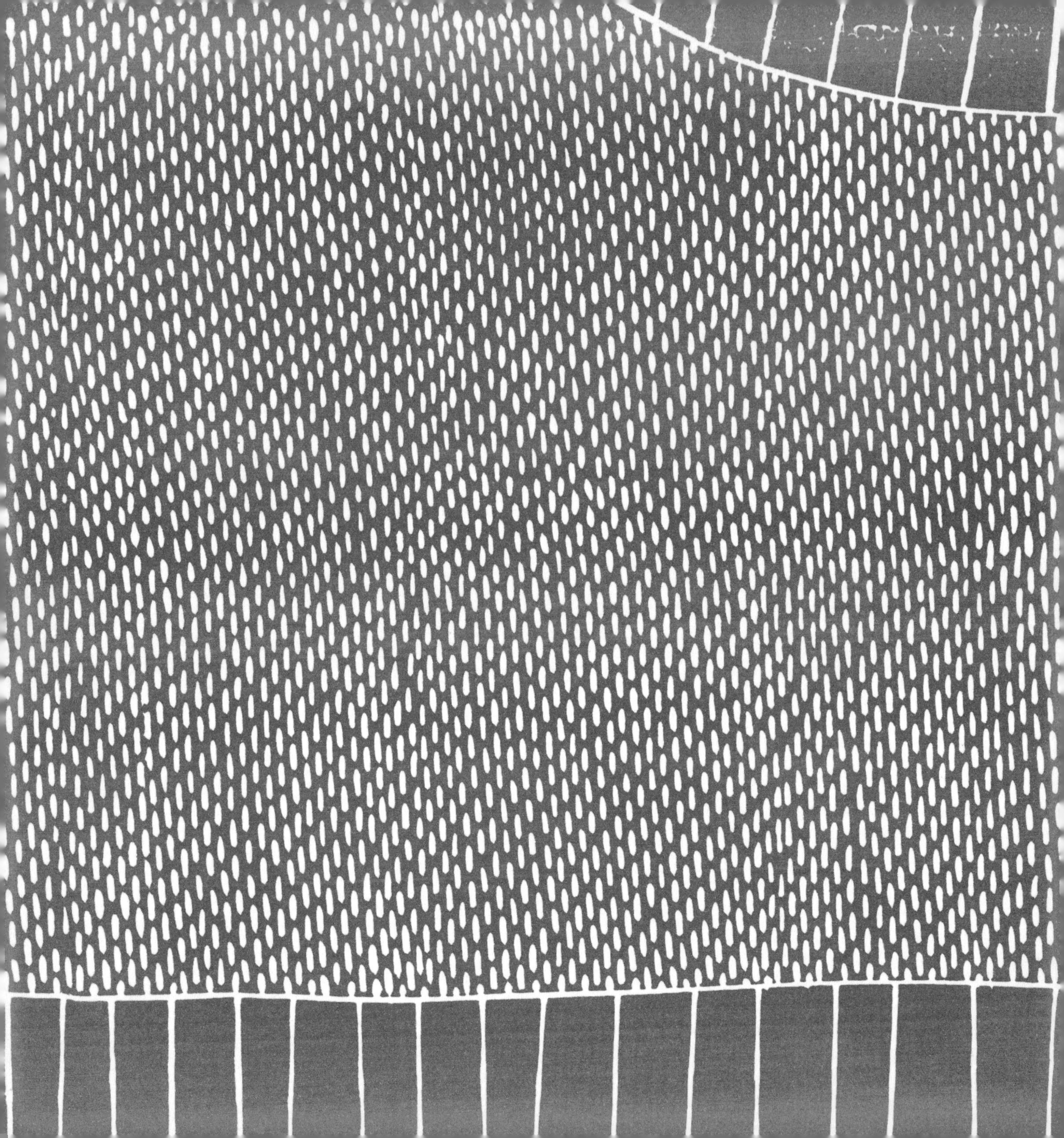

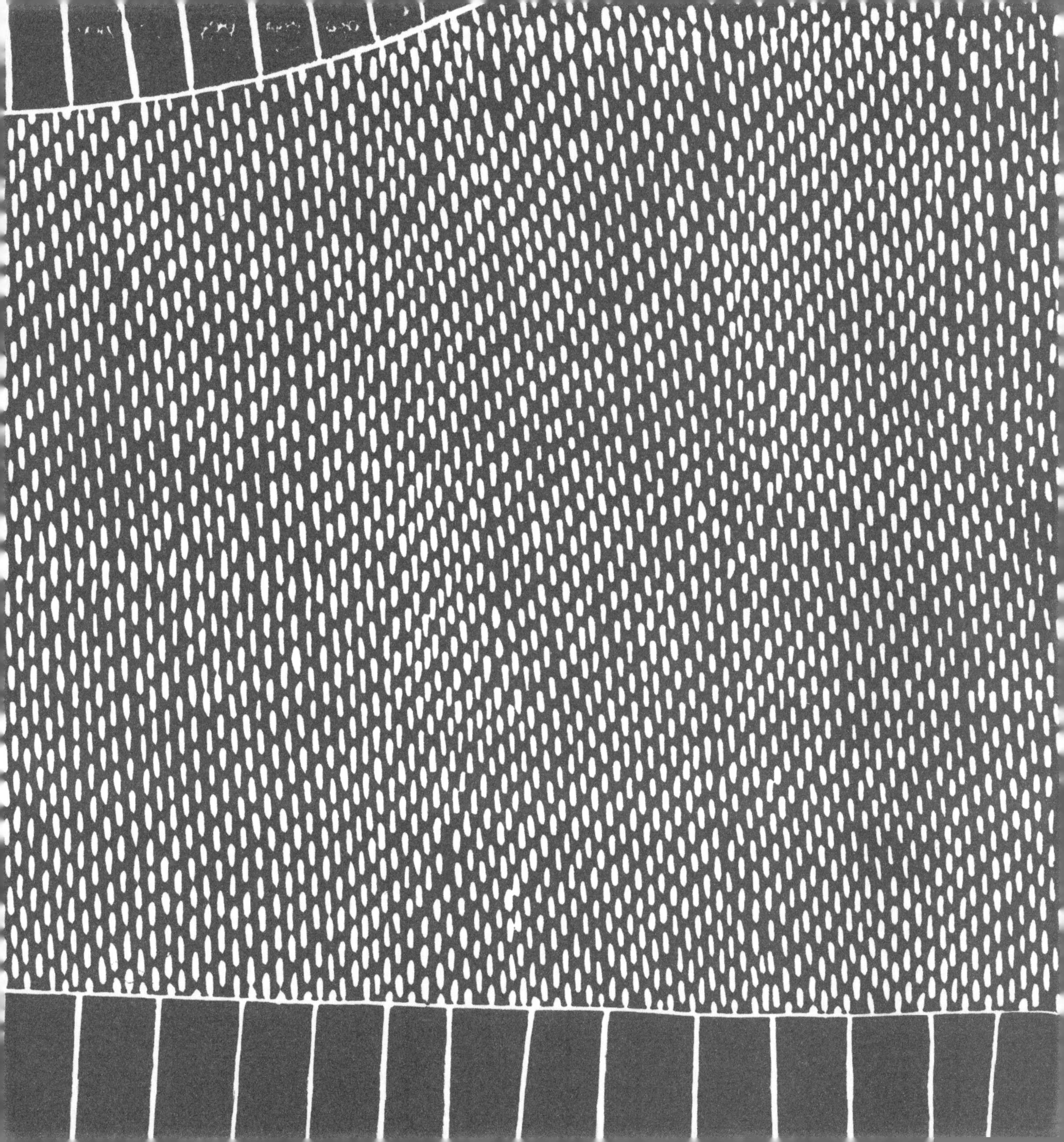

AIRSON MAC MO BHRÀTHAR-CHÈILE YIFINGUR

A' chiad fhoillseachadh sa Bheurla an 2019 le Two Hoots,
meur de Pan Macmillan
6 Briset Street, Lunnainn EC1M 5NR
Companaidhean caidreachais air feadh an t-saoghail

www.panmacmillan.com
www.twohoots.com

Chaidh na dealbhan anns an leabhar seo a chruthachadh le bhith
a' cleachdadh clò-bhualadh liono agus collage

1 3 5 7 9 8 6 4 2

A' chiad fhoillseachadh sa Ghàidhlig 2020 le Acair, An Tosgan,
Rathad Shiophoirt, Steòrnabhagh, Eilean Leòdhais HS1 2SD

info@acairbooks.com
www.acairbooks.com

An tionndadh Gàidhlig Iain D. Urchardan
An dealbhachadh sa Ghàidhlig Mairead Anna NicLeòid

Tha Acair a' faighinn taic bho Bhòrd na Gàidhlig

Gheibhear clàr catalog CIP airson an leabhair seo ann an Leabharlann Bhreatainn

Clò-bhuailte ann an Sìona

LAGE/ISBN 978-1-78907-049-1

Riaghladair Carthannas na h-Alba

Carthannas Clàraichte/
Registered Charity SC047866

MORAG HOOD

’S E CAORA A TH’ ANN AN CIARA

’S e caoraich a tha annta seo uile.

’S e caora a tha an seo cuideachd.

’S e Ciara an t-ainm a tha air a’ chaora seo.
Tha geansaidh clòimhe snog air Ciara.

Bidh Ciara a' dèanamh a h-uile rud
a bhios caoraich a' dèanamh . . .

. . . oir ’s e caora a th’ innte.

Bidh na caoraich ag ionnsachadh tòrr gheamannan ùra bhon caraid Ciara.

Mar: 'Glac seo'

'Geuraich d' fhiaclan',

agus ‘Glac sinne’.

Ach ge b’ e dè cho mòr ’s a dh’fheuchas i ...

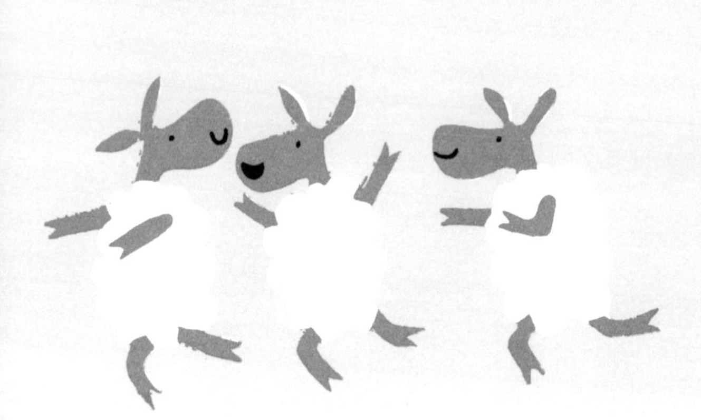

... cha ghlac i gin dhiubh, uair sam bith.
Bidh iad an-còmhnaidh a’ teicheadh.

Tha na caoraich a' smaoineachadh gur e Ciara a' chaora as fheàrr ris an do choinnich iad a-riamh.

Tha i uabhasach àrd, le fiaclan biorach snoga,
's tha a' chlòimh aice air fhighe agus dathte.

Tha na caoraich uile ag iarraidh a bhith
coltach ri Ciara.

Ach tha rudan eile
air inntinn
Ciara.

Tha i ag ullachadh an
reasabaidh shònraichte
aice – sabhs meannta.

Cha do dh'ith na caoraich a-riamh sabhs sònraichte meannta Ciara, ach tha i ag ràdh riutha gu bheil e blasta.

Chan eil feum air dad, ach an rud ceart a a dh'itheas tu leis a lorg.

Gu fortanach, tha Ciara eòlach air an dearbh rud a tha a dhìth. Tha ise ag ullachadh airson fèist.

Tha na caoraich air bhioran.

Tha Ciara ag iarraidh air na caoraich a dhol dhan leabaidh tràth. Tha i ag ràdh gum bi rud iongantach romhpa anns a' mhadainn.

Rud iongantach, blasta.

B' fheudar do Chiara feitheamh ùine mhòr mus deach na caoraich a chadal.

Ach mu dheireadh thall, thàinig an cadal orra, aon an dèidh aoin. Tha Ciara gan cunntadh air a spuirean.

Aon chaora bhlasta.

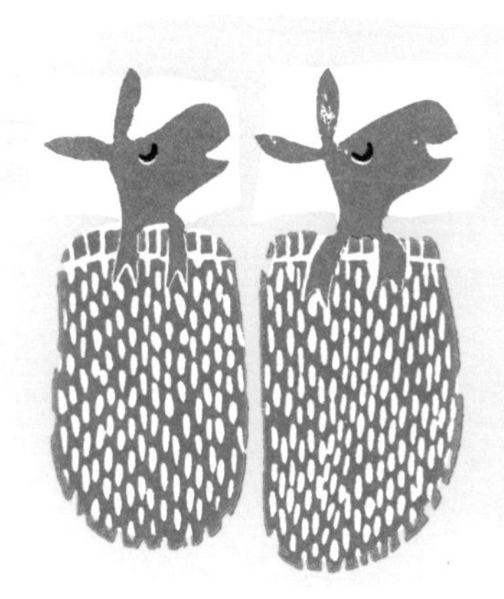

Dà chaora bhlasta.

Trì caoraich bhlastsa . . .

ZZZZZZZZZZZZZZZZZZ

ZZZZZZZZ

Mun àm a dhùisg Ciara, bha na caoraich fhèin
air rud iongantach a dhèanamh.

An sin tha:
stiubha feòir

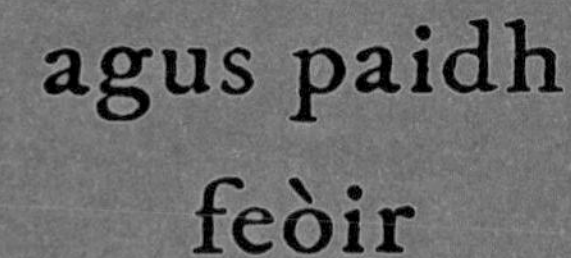

agus paidh
feòir

agus burgar
feòir.

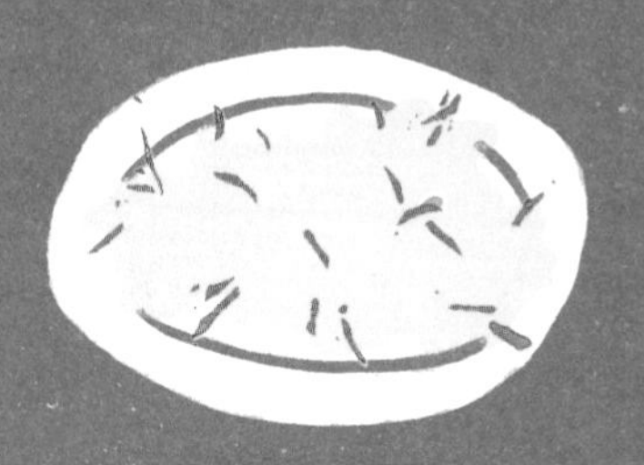

agus lasagne
feòir.

agus ceapairean
feòir.

agus isbeanan
feòir.

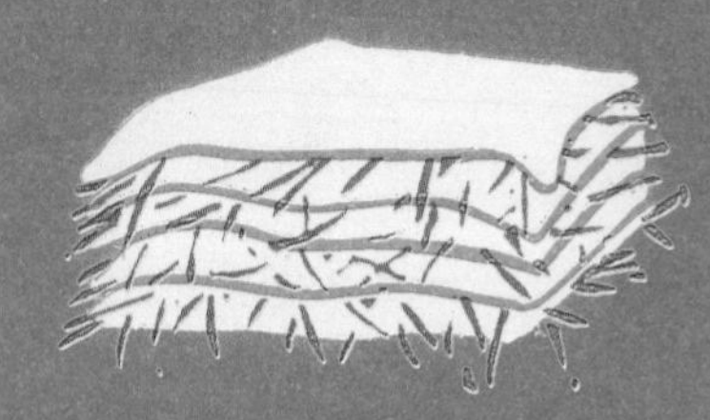

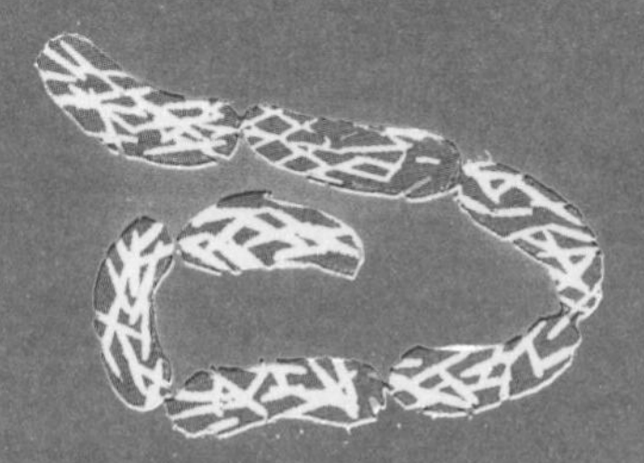

Agus, mar mhìlsean,
briosgaidean feòir.

Le sabhs blasta
airson a dhòrtadh
thairis air a h-uile sìon.

Cha b' e seo an fhèist a mhiannaich Ciara.

Ach nuair a chì i a h-uile sìon
a rinn a caraidean dhi,

chan urrainn do Chiara ach
pàirt a ghabhail san spòrs.
Oir, aig deireadh an latha . . .

’S e caora a th’ ann an Ciara.

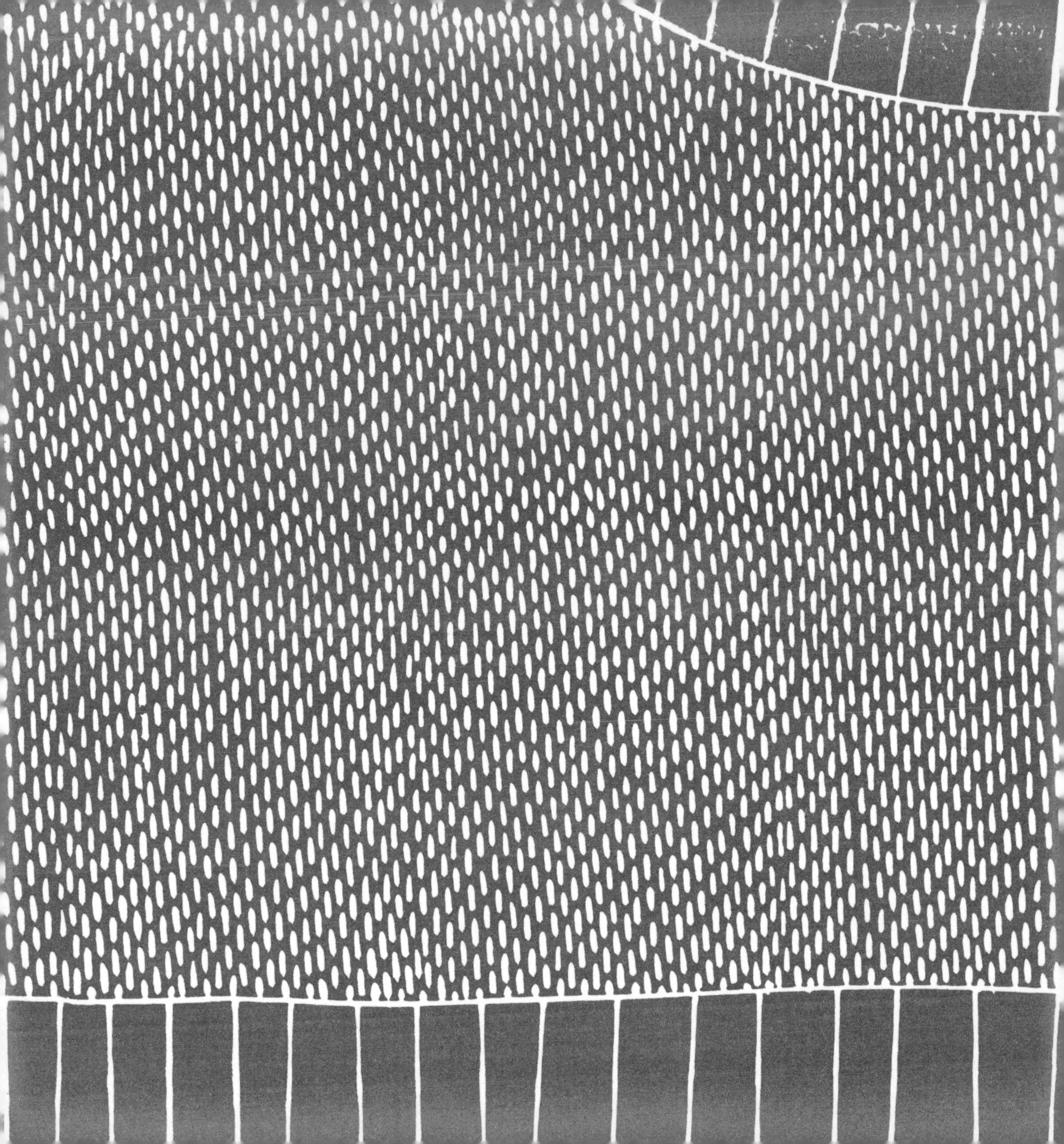

SEO MAR A NÌ THU DEALBH DE CHAORAICH

Tòisich le sgòthan beaga molach (no geansaidh clòimhe brèagha).

Agus ceithear casan (agus earball, 's dòcha).

Cuir ceann air gach tè dhiubh.

CAORAICH!